哇！歷史原來是這樣

狐狸家 編著

上學簡史

U0063294

中華教育

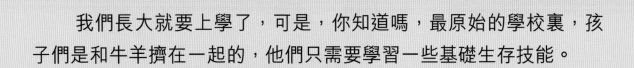

　　我們長大就要上學了，可是，你知道嗎，最原始的學校裏，孩子們是和牛羊擠在一起的，他們只需要學習一些基礎生存技能。

　　後來呀，他們要學的東西可就多了，禮儀、音樂、射箭、駕車、讀寫、算法，樣樣都要學……

　　每一代中國人都對「上學」這件事格外重視，今天，小朋友要經歷幼稚園、小學、中學、大學等一系列升學過程，上學能讓每個孩子成長為真正的「人」。

　　哇，歷史原來是這樣啊！還等甚麼，背上小書包，寶寶上學去吧！

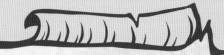

「人都到齊了嗎？」

你知道嗎，最早的「學校」裏，孩子們是和牛羊擠在一起上課的。

「呼——呼——呼——」

那時候，他們只需要跟着大人，
學習一些基本生存技能。

播種插秧

劈柴割草

照看牲畜

收穫糧食

後來呀，孩子們要學的東西越來越多，需要掌握六種才能，簡稱「六藝」。

「幸會幸會。」

「久仰久仰。」

禮：禮儀

樂：音樂

射：射箭

御：駕車

書：讀寫

數：算法

上學第一件事做甚麼？當然是「拜師」咯！

拜個好老師，送份小禮物，表示對老師的尊敬和對教育的重視。

蓮子：苦心教育

芹菜：勤奮學習

桂圓：功德圓滿

「媽媽，這太不公平了！」

　　不過，古時候重男輕女，男孩子可以拜師上學，
女孩子卻不可以。

老師是甚麼人呢？「師者，所以傳道、受業、解惑也。」他是為我們傳授知識、解答困惑的人。老師在我們的一生中扮演着重要角色。

有時候他很慈愛，有時候也很嚴厲。

初入學堂拜孔子像，孔子是中國開創
私人講學的祖師爺，是我們老師的老師。

「小懶蟲，又打瞌睡！」

「哎喲！」

那時候的學校是甚麼樣子呢？

古代學校分為「官學」和「私學」，
就像今天的公立學校和私立學校。私學
通常就在老師的家裏或家族祠堂裏授課。

「喔——喔——喔——」

沒錯，上學很辛苦，天剛亮就要
起床唸書。

「來追我呀！」

「別跑！」

但有時候，上學也很歡樂。

有的富人家的小孩上學，一大群僕人
跟着伺候，他卻還是不好好學習。

「少爺，這些書您還沒看哪！」

「唉，孺子不可教也。」

「書裏有啥好東西？」

窮人家的小孩上學，連燈油都買不起。
但有的小孩卻天資聰慧，努力向上。

夜晚降臨，家裏沒光，他就偷偷在牆壁
上鑿個洞，借着鄰居家的光亮看書。

「書啃起來香嗎？」

「終於熬出頭了！」

「爺爺，您好像
上榜了！」

　　朝廷會定期舉行考試，為朝廷選拔人才，全國上下的讀
書人幾乎都會參加，這就是歷史上有名的「科舉制」。

　　每逢放榜日，總是「幾家歡喜幾家愁」，有的人考了一輩
子，只為中一次榜。

「書山有路勤為徑，學海無涯苦作舟。」
每一代中國人，都對「上學」這件事格外重視。

今天，無論你是男孩還是女孩，都要「好好學習，天天向上」。

上學，讓每一個孩子成長為
真正的「人」。

「老師，我有一個問題！」

幼稚園　　　小學　　　中學

「哦？」

你，
準備好
上學了嗎？

大學

碩士

博士

老師，早上好！

上學簡史

禮

樂

射

御

書

數

劈柴割草

照看牲畜

收穫糧食

學「六藝」

尊師重道

拜孔子像

拜師禮

幼稚園　　小學　　中學

大學　　碩士　　博士

「私學」

讀書為了
成長為「人」

「官學」

讀書為了出人頭地

古時候的學校

科舉制

哇！歷史原來是這樣

上學簡史

狐狸家　編著

責任編輯：鍾昕恩
裝幀設計：鄧佩儀
排　　版：鄧佩儀
印　　務：劉漢舉

出版 | 中華教育
香港北角英皇道 499 號北角工業大廈 1 樓 B 室
電話：(852) 2137 2338　傳真：(852) 2713 8202
電子郵件：info@chunghwabook.com.hk
網址：http://www.chunghwabook.com.hk

發行 | 香港聯合書刊物流有限公司
香港新界荃灣德士古道 220-248 號 荃灣工業中心 16 樓
電話：（852）2150 2100　傳真：（852）2407 3062
電子郵件：info@suplogistics.com.hk

印刷 | 美雅印刷製本有限公司
香港觀塘榮業街 6 號海濱工業大廈 4 字樓 A 室

版次 | 2021 年 11 月第 1 版第 1 次印刷
©2021 中華教育

規格 | 12 開（230mm x 230mm）

ISBN | 978-988-8759-94-1